Juste la fin du monde

JEAN-LUC LAGARCE

Juste la fin du monde

LES SOLITAIRES INTEMPESTIFS

Cette pièce a été écrite dans le cadre d'une bourse Léonard de Vinci à Berlin en 1990.

Ce texte a été créé en octobre 1999 au Théâtre Vidy-Lausanne, dans une mise en scène de Joël Jouanneau.

© 1999, LES SOLITAIRES INTEMPESTIFS, ÉDITIONS
1, rue Gay-Lussac – 25000 BESANÇON
Tél. : 33 [0]3 81 81 00 22 – Fax : 33 [0]3 81 83 32 15

www.solitairesintempestifs.com

Le texte du présent volume correspond à l'édition établie en 2007

ISBN 978-2-912464-88-0

PERSONNAGES

Louis, *34 ans.*
Suzanne, *sa sœur, 23 ans.*
Antoine, *leur frère, 32 ans.*
Catherine, *femme d'Antoine, 32 ans.*
La Mère, *mère de Louis, Antoine et Suzanne, 61 ans.*

Cela se passe dans la maison de la Mère et de Suzanne, un dimanche, évidemment, ou bien encore durant près d'une année entière.

PROLOGUE

Louis. – Plus tard, l'année d'après
– j'allais mourir à mon tour –
j'ai près de trente-quatre ans maintenant et c'est à cet âge
que je mourrai,
l'année d'après,
de nombreux mois déjà que j'attendais à ne rien faire, à
tricher, à ne plus savoir,
de nombreux mois que j'attendais d'en avoir fini,
l'année d'après,
comme on ose bouger parfois,
à peine,
devant un danger extrême, imperceptiblement, sans vouloir faire de bruit ou commettre un geste trop violent qui
réveillerait l'ennemi et vous détruirait aussitôt,
l'année d'après,
malgré tout,
la peur,
prenant ce risque et sans espoir jamais de survivre,
malgré tout,
l'année d'après,
je décidai de retourner les voir, revenir sur mes pas, aller
sur mes traces et faire le voyage,
pour annoncer, lentement, avec soin, avec soin et préci-
sion
– ce que je crois –
lentement, calmement, d'une manière posée
– et n'ai-je pas toujours été pour les autres et eux, tout
précisément, n'ai-je pas toujours été un homme posé ?,

pour annoncer,
dire,
seulement dire,
ma mort prochaine et irrémédiable,
l'annoncer moi-même, en être l'unique messager,
et paraître
– peut-être ce que j'ai toujours voulu, voulu et décidé, en
toutes circonstances et depuis le plus loin que j'ose me
souvenir –
et paraître pouvoir là encore décider,
me donner et donner aux autres, et à eux, tout précisément,
toi, vous, elle, ceux-là encore que je ne connais pas (trop
tard et tant pis),
me donner et donner aux autres une dernière fois l'illusion
d'être responsable de moi-même et d'être, jusqu'à cette
extrémité, mon propre maître.

PREMIÈRE PARTIE

Scène 1

SUZANNE. – C'est Catherine.
Elle est Catherine.
Catherine, c'est Louis.
Voilà Louis.
Catherine.

ANTOINE. – Suzanne, s'il te plaît, tu le laisses avancer, laisse-le avancer.

CATHERINE. – Elle est contente.

ANTOINE. – On dirait un épagneul.

LA MÈRE. – Ne me dis pas ça, ce que je viens d'entendre, c'est vrai, j'oubliais, ne me dites pas ça, ils ne se connaissent pas.
Louis, tu ne connais pas Catherine ? Tu ne dis pas ça, vous ne vous connaissez pas, jamais rencontrés, jamais ?

ANTOINE. – Comment veux-tu ? Tu sais très bien.

LOUIS. – Je suis très content.

CATHERINE. – Oui, moi aussi, bien sûr, moi aussi.
Catherine.

SUZANNE. – Tu lui serres la main ?

Louis. – Louis.
Suzanne l'a dit, elle vient de le dire.

Suzanne. – Tu lui serres la main, il lui serre la main. Tu ne vas tout de même pas lui serrer la main ? Ils ne vont pas se serrer la main, on dirait des étrangers.
Il ne change pas, je le voyais tout à fait ainsi,
tu ne changes pas,
il ne change pas, comme ça que je l'imagine, il ne change pas, Louis,
et avec elle, Catherine, elle, tu te trouveras, vous vous trouverez sans problème, elle est la même, vous allez vous trouver.
Ne lui serre pas la main, embrasse-la.
Catherine.

Antoine. – Suzanne, ils se voient pour la première fois !

Louis. – Je vous embrasse, elle a raison, pardon, je suis très heureux, vous permettez ?

Suzanne. – Tu vois ce que je disais, il faut leur dire.

La Mère. – En même temps, qui est-ce qui m'a mis une idée pareille en tête, dans la tête ? Je le savais. Mais je suis ainsi, jamais je n'aurais pu imaginer qu'ils ne se connaissent,
que vous ne vous connaissiez pas,
que la femme de mon autre fils ne connaisse pas mon fils, cela, je ne l'aurais pas imaginé,
cru pensable.
Vous vivez d'une drôle de manière.

Catherine. – Lorsque nous nous sommes mariés, il n'est pas venu et depuis, le reste du temps, les occasions ne se sont pas trouvées.

ANTOINE. – Elle sait ça parfaitement.

LA MÈRE. – Oui, ne m'expliquez pas, c'est bête, je ne sais pas pourquoi je demandais cela,
je le sais aussi bien mais j'oubliais, j'avais oublié toutes ces autres années,
je ne me souvenais pas à ce point, c'est ce que je voulais dire.

SUZANNE. – Il est venu en taxi.
J'étais derrière la maison et j'entends une voiture,
j'ai pensé que tu avais acheté une voiture, on ne peut pas savoir, ce serait logique.
Je t'attendais et le bruit de la voiture, du taxi, immédiatement, j'ai su que tu arrivais, je suis allée voir, c'était un taxi,
tu es venu en taxi depuis la gare, je l'avais dit, ce n'est pas bien, j'aurais pu aller te chercher,
j'ai une automobile personnelle,
aujourd'hui tu me téléphones et je serais immédiatement partie à ta rencontre,
tu n'avais qu'à prévenir et m'attendre dans un café.
J'avais dit que tu ferais ça,
je leur ai dit,
que tu prendrais un taxi,
mais ils ont tous pensé que tu savais ce que tu avais à faire.

LA MÈRE. – Tu as fait un bon voyage ? Je ne t'ai pas demandé.

LOUIS. – Je vais bien.
Je n'ai pas de voiture, non.
Toi, comment est-ce que tu vas ?

ANTOINE. – Je vais bien.
Toi, comment est-ce que tu vas ?

LOUIS. – Je vais bien.
Il ne faut rien exagérer, ce n'est pas un grand voyage.

SUZANNE. – Tu vois, Catherine, ce que je disais,
c'est Louis,
il n'embrasse jamais personne,
toujours été comme ça.
Son propre frère, il ne l'embrasse pas.

ANTOINE. – Suzanne, fous-nous la paix !

SUZANNE. – Qu'est-ce que j'ai dit ?
Je ne t'ai rien dit, je ne lui dis rien à celui-là,
je te parle ?
Maman !

Scène 2

CATHERINE. – Ils sont chez leur autre grand-mère,
nous ne pouvions pas savoir que vous viendriez,
et les lui retirer à la dernière seconde, elle n'aurait pas
admis.
Ils auraient été très heureux de vous voir, cela, on n'en
doute pas une seconde
– non ? –,
et moi aussi, Antoine également,
nous aurions été heureux, évidemment, qu'ils vous connaissent enfin.
Ils ne vous imaginent pas.

La plus grande a huit ans.
On dit, mais je ne me rends pas compte,
je ne suis pas la mieux placée,
tout le monde dit ça,
on dit,
et ces choses-là ne me paraissent jamais très logiques

– juste un peu, comment dire ? pour amuser,
non ? –,
je ne sais pas,
on dit et je ne vais pas les contredire, qu'elle ressemble à
Antoine,
on dit qu'elle est exactement son portrait, en fille,
la même personne.
On dit toujours des choses comme ça, de tous les enfants
on le dit, je ne sais pas, pourquoi non ?

LA MÈRE. – Le même caractère, le même sale mauvais
caractère,
ils sont les deux mêmes, pareils et obstinés.
Comme il est là aujourd'hui, elle sera plus tard.

CATHERINE. – Vous nous aviez envoyé un mot,
vous m'avez envoyé un mot, un petit mot, et des fleurs, je
me souviens.
C'était, ce fut, c'était une attention très gentille et j'en ai
été touchée, mais en effet,
vous ne l'avez jamais vue.
Ce n'est pas aujourd'hui, tant pis, non, ce ne sera pas
aujourd'hui que cela changera.
Je lui raconterai.
Nous vous avions, avons, envoyé une photographie d'elle
– elle est toute petite, toute menue, c'est un bébé, ces
idioties ! –
et sur la photographie, elle ne ressemble pas à Antoine, pas
du tout, elle ne ressemble à personne,
quand on est si petit on ne ressemble à rien,
je ne sais pas si vous l'avez reçue.
Aujourd'hui, elle est très différente, une fille, et vous ne
pourriez la reconnaître,
elle a grandi et elle a des cheveux.
C'est dommage.

ANTOINE. – Laisse ça, tu l'ennuies.

LOUIS. – Pas du tout,
pourquoi est-ce que tu dis ça, ne me dis pas ça.

CATHERINE. – Je vous ennuie, j'ennuie tout le monde avec
ça, les enfants,
on croit être intéressante.

LOUIS. – Je ne sais pas pourquoi il a dit ça,
je n'ai pas compris,
pourquoi est-ce que tu as dit ça ?
c'est méchant, pas méchant, non, c'est déplaisant.
Cela ne m'ennuie pas du tout, tout ça, mes filleuls,
neveux, mes neveux, ce ne sont pas mes filleuls, mes
neveux, nièces, ma nièce, ça m'intéresse.

Il y a aussi un petit garçon, il s'appelle comme moi.
Louis ?

CATHERINE. – Oui, je vous demande pardon.

LOUIS. – Cela me fait plaisir, je suis touché, j'ai été touché.

CATHERINE. – Il y a un petit garçon, oui.
Le petit garçon a,
il a maintenant six ans.
Six ans ?
Je ne sais pas, quoi d'autre ?
Ils ont deux années de différence, deux années les séparent.
Qu'est-ce que je pourrais ajouter ?

ANTOINE. – Je n'ai rien dit,
ne me regarde pas comme ça !
Tu vois comme elle me regarde ?
Qu'est-ce que j'ai dit ?
Ce n'est pas ce que j'ai dit qui doit, qui devrait, ce n'est pas
ce que j'ai dit qui doit t'empêcher,
je n'ai rien dit qui puisse te troubler,

elle est troublée,
elle te connaît à peine et elle est troublée,
Catherine est comme ça.
Je n'ai rien dit.
Il t'écoute,
cela t'intéresse ?
Il t'écoute, il vient de le dire,
cela l'intéresse, nos enfants, tes enfants, mes enfants,
cela lui plaît,
cela te plaît ?
Il est passionné, c'est un homme passionné par cette
description de notre progéniture,
il aime ce sujet de conversation,
je ne sais pas pourquoi, ce qui m'a pris,
rien sur son visage ne manifestait le sentiment de l'ennui,
j'ai dit ça, ce devait être sans y penser.

CATHERINE. – Oui, non, je ne pensais pas à ça.

LOUIS. – C'est pénible, ce n'est pas bien.
Je suis mal à l'aise,
excuse-moi,
excusez-moi,
je ne t'en veux pas, mais tu m'as mis mal à l'aise et là,
maintenant,
je suis mal à l'aise.

ANTOINE. – Cela va être de ma faute.
Une si bonne journée.

LA MÈRE. – Elle parlait de Louis,
Catherine, tu parlais de Louis,
le gamin.
Laisse-le, tu sais comment il est.

CATHERINE. – Oui. Pardon. Ce que je disais,
il s'appelle comme vous, mais, à vrai dire...

ANTOINE. – Je m'excuse.

Ça va, là, je m'excuse, je n'ai rien dit, on dit que je n'ai rien
dit,

mais tu ne me regardes pas comme ça,

tu ne continues pas à me regarder ainsi,

franchement, franchement,

qu'est-ce que j'ai dit ?

CATHERINE. – J'ai entendu.

Je t'ai entendu.

Ce que je dis, il porte avant tout,

c'est plutôt là l'origine

– je raconte –

il porte avant tout le prénom de votre père et fatalement,

par déduction...

ANTOINE. – Les rois de France.

CATHERINE. – Écoute, Antoine,

écoute-moi, je ne dis rien, cela m'est égal,

tu racontes à ma place !

ANTOINE. – Je n'ai rien dit,

je plaisantais,

on ne peut pas plaisanter,

un jour comme aujourd'hui, si on ne peut pas plaisanter...

LA MÈRE. – Il plaisante, c'est une plaisanterie qu'il a déjà
faite.

ANTOINE. – Explique.

CATHERINE. – Il porte le prénom de votre père,

je crois, nous croyons, nous avons cru, je crois que c'est
bien,

cela faisait plaisir à Antoine, c'est une idée auquel, à
laquelle, une idée à laquelle il tenait,

et moi,
je ne saurais rien y trouver à redire
– je ne déteste pas ce prénom.
Dans ma famille, il y a le même genre de traditions, c'est
peut-être moins suivi,
je ne me rends pas compte, je n'ai qu'un frère, fatalement,
et il n'est pas l'aîné, alors,
le prénom des parents ou du père du père de l'enfant mâle,
le premier garçon, toutes ces histoires.
Et puis,
et puisque vous n'aviez pas d'enfant, puisque vous n'avez
pas d'enfant,
– parce qu'il aurait été logique, nous le savons... –
ce que je voulais dire :
mais puisque vous n'avez pas d'enfant
et Antoine dit ça,
tu dis ça, tu as dit ça,
Antoine dit que vous n'en aurez pas
– ce n'est pas décider de votre vie mais je crois qu'il n'a pas
tort. Après un certain âge, sauf exception, on abandonne,
on renonce –
puisque vous n'avez pas de fils,
c'est surtout cela,
puisque vous n'aurez pas de fils,
il était logique
(logique, ce n'est pas un joli mot pour une chose à
l'ordinaire heureuse et solennelle, le baptême des enfants,
bon)
il était logique, on me comprend,
cela pourrait paraître juste des traditions, de l'histoire
ancienne mais c'est aussi ainsi que nous vivons,
il paraissait logique,
nous nous sommes dit ça, que nous l'appelions Louis,
comme votre père, donc, comme vous, de fait.
Je pense aussi que cela fait plaisir à votre mère.

ANTOINE. – Mais tu restes l'aîné, aucun doute là-dessus.

LA MÈRE. – Dommage vraiment que tu ne puisses le voir. Et si à ton tour...

LOUIS. – Et là, pour ce petit garçon, comment est-ce que vous avez dit ? « L'héritier mâle » ? Je n'avais pas envoyé de mot ?

ANTOINE. – Mais merde, ce n'est pas de ça qu'elle parlait !

CATHERINE. – Antoine !

Scène 3

SUZANNE. – Lorsque tu es parti
– je ne me souviens pas de toi –
je ne savais pas que tu partais pour tant de temps, je n'ai pas fait attention,
je ne prenais pas garde,
et je me suis retrouvée sans rien.
Je t'oubliai assez vite.
J'étais petite, jeune, ce qu'on dit, j'étais petite.

Ce n'est pas bien que tu sois parti,
parti si longtemps,
ce n'est pas bien et ce n'est pas bien pour moi
et ce n'est pas bien pour elle
(elle ne te le dira pas)
et ce n'est pas bien encore, d'une certaine manière,
pour eux, Antoine et Catherine.
Mais aussi
– je ne crois pas que je me trompe –,
mais aussi ce ne doit pas, ça n'a pas dû, ce ne doit pas être bien pour toi non plus,
pour toi aussi.
Tu as dû, parfois,
même si tu ne l'avoues pas, jamais,

même si tu ne devais jamais l'avouer
– et il s'agit bien d'aveu –
tu as dû parfois, toi aussi
(ce que je dis)
toi aussi,
tu as dû parfois avoir besoin de nous et regretter de ne
pouvoir nous le dire.
Ou, plus habilement
– je pense que tu es un homme habile, un homme qu'on
pourrait qualifier d'habile, un homme « plein d'une certaine habileté » –
ou plus habilement encore, tu as dû parfois regretter de ne
pouvoir nous faire sentir ce besoin de nous
et nous obliger, de nous-mêmes, à nous inquiéter de toi.

Parfois, tu nous envoyais des lettres,
parfois tu nous envoies des lettres,
ce ne sont pas des lettres, qu'est-ce que c'est ?
de petits mots, juste des petits mots, une ou deux phrases,
rien, comment est-ce qu'on dit ?
elliptiques.
« Parfois, tu nous envoyais des lettres elliptiques. »
Je pensais, lorsque tu es parti
(ce que j'ai pensé lorsque tu es parti),
lorsque j'étais enfant et lorsque tu nous as faussé compa-
gnie (là que ça commence),
je pensais que ton métier, ce que tu faisais ou allais faire
dans la vie,
ce que tu souhaitais faire dans la vie,
je pensais que ton métier était d'écrire (serait d'écrire)
ou que, de toute façon
– et nous éprouvons les uns et les autres, ici, tu le sais, tu
ne peux pas ne pas le savoir, une certaine forme d'admiration, c'est le terme exact, une certaine forme d'admiration
pour toi à cause de ça –,
ou que, de toute façon,
si tu en avais la nécessité,

si tu en éprouvais la nécessité,
si tu en avais, soudain, l'obligation ou le désir, tu saurais écrire,
te servir de ça pour te sortir d'un mauvais pas ou avancer plus encore.
Mais jamais, nous concernant,
jamais tu ne te sers de cette possibilité, de ce don (on dit comme ça, c'est une sorte de don, je crois, tu ris)
jamais, nous concernant, tu ne te sers de cette qualité
– c'est le mot et un drôle de mot puisqu'il s'agit de toi –
jamais tu ne te sers de cette qualité que tu possèdes, avec nous, pour nous.
Tu ne nous en donnes pas la preuve, tu ne nous en juges pas dignes.
C'est pour les autres.

Ces petits mots
– les phrases elliptiques –
ces petits mots, ils sont toujours écrits au dos de cartes postales
(nous en avons aujourd'hui une collection enviable)
comme si tu voulais, de cette manière, toujours paraître être en vacances,
je ne sais pas, je croyais cela,
ou encore, comme si, par avance,
tu voulais réduire la place que tu nous consacrerais
et laisser à tous les regards les messages sans importance que tu nous adresses.
« Je vais bien et j'espère qu'il en est de même pour vous. »
Et même, pour un jour comme celui d'aujourd'hui,
même pour annoncer une nouvelle de cette importance,
et tu ne peux pas ignorer que ce fut une nouvelle importante pour nous,
nous tous, même si les autres ne te le disent pas,
tu as juste écrit, là encore, quelques rapides indications d'heure et de jour au dos d'une carte postale achetée très certainement dans un bureau de tabac et représentant, que

je me souvienne, une ville nouvelle de la grande périphérie, vue d'avion, avec, on peut s'en rendre compte aisément, au premier plan, le parc des expositions internationales.

Elle, ta mère, ma mère,
elle dit que tu as fait et toujours fait,
et depuis sa mort à lui,
que tu as fait et toujours fait ce que tu avais à faire.
Elle répète ça
et si nous devions par hasard, seulement, ne serait-ce qu'à peine, si nous devions insinuer, oser insinuer que peut-être,
comment dire ?
tu ne fus pas toujours tellement tellement présent,
elle répond que « tu as fait et toujours fait ce que tu avais à faire »,
et nous, nous nous taisons,
est-ce qu'on sait ?
on ne te connaît pas.
Ce que je suppose, ce que j'ai supposé et Antoine pense comme moi,
il me le confirma lorsqu'il pensa que sur ce point comme sur d'autres, j'étais en âge de comprendre,
c'est que jamais tu n'oublias les dates essentielles de nos vies,
les anniversaires quels qu'ils soient,
que toujours tu restas proche d'elle, d'une certaine manière,
et que nous n'avons aucun droit de te reprocher ton absence.

C'est étrange,
je voulais être heureuse et l'être avec toi
– on se dit ça, on se prépare –
et je te fais des reproches et tu m'écoutes,
tu sembles m'écouter sans m'interrompre.

J'habite toujours ici avec elle.

Antoine et Catherine, avec les enfants

– je suis la marraine de Louis –

ont une petite maison, pavillon, j'allais rectifier,

je ne sais pas pourquoi tu dois aimer (ce que je pense)

tu dois aimer ces légères nuances, petite maison, bon,

comme bien d'autres, à quelques kilomètres de nous, par
là, vers la piscine découverte omnisports,

tu prends le bus 9 et ensuite le 62 et ensuite tu dois marcher
encore un peu.

C'est bien, cela ne me plaît pas, je n'y vais jamais mais
c'est bien.

Je ne sais pas pourquoi,

je parle,

et cela me donne presque envie de pleurer,

tout ça,

que Antoine habite près de la piscine.

Non, ce n'est pas bien,

c'est un quartier plutôt laid, ils reconstruisent mais cela ne
peut pas s'arranger,

je n'aime pas du tout l'endroit où il habite, c'est loin,

je n'aime pas,

ils viennent toujours ici et nous n'allons jamais là-bas.

Ces cartes postales, tu pouvais mieux les choisir, je ne sais
pas, je les aurais collées au mur, j'aurais pu les montrer aux
autres filles !

Bon. Ce n'est rien.

J'habite toujours ici avec elle. Je voudrais partir mais ce
n'est guère possible,

je ne sais comment l'expliquer,

comment le dire,

alors je ne le dis pas.

Antoine pense que j'ai le temps,

il dit toujours des choses comme ça, tu verras (tu t'es peut-
être déjà rendu compte),

il dit que je ne suis pas mal,

et en effet, si on y réfléchit

– et en effet, j'y réfléchis, je ris, voilà, je me fais rire –
en effet, je n'y suis pas mal, ce n'est pas ça que je dis.
Je ne pars pas, je reste,
je vis où j'ai toujours vécu mais je ne suis pas mal.
Peut-être
(est-ce qu'on peut deviner ces choses-là ?)
peut-être que ma vie sera toujours ainsi, on doit se rési-
gner, bon,
il y a des gens et ils sont le plus grand nombre,
il y a des gens qui passent toute leur existence là où ils sont
nés
et où sont nés avant eux leurs parents,
ils ne sont pas malheureux,
on doit se contenter,
ou du moins ils ne sont pas malheureux à cause de ça, on
ne peut pas le dire,
et c'est peut-être mon sort, ce mot-là, ma destinée, cette vie.
Je vis au second étage, j'ai ma chambre, je l'ai gardée,
et aussi la chambre d'Antoine
et la tienne encore si je veux,
mais celle-là, nous n'en faisons rien,
c'est comme un débarras, ce n'est pas méchanceté, on y
met les vieilleries qui ne servent plus mais qu'on n'ose pas
jeter,
et d'une certaine manière,
c'est beaucoup mieux,
ce qu'ils disent tous lorsqu'ils se mettent contre moi,
beaucoup mieux que ce que je pourrais trouver avec
l'argent que je gagne si je partais.
C'est comme une sorte d'appartement.
C'est comme une sorte d'appartement, mais, et ensuite
j'arrête,
mais ce n'est pas ma maison, c'est la maison de mes
parents,
ce n'est pas pareil,
tu dois pouvoir comprendre cela.

J'ai aussi des choses qui m'appartiennent, les choses
ménagères,
tout ça, la télévision et les appareils pour entendre la
musique
et il y a plus chez moi, là-haut,
je te montrerai
(toujours Antoine),
il y a plus de confort qu'il n'y en a ici-bas,
non, pas « ici-bas », ne te moque pas de moi,
qu'il n'y en a ici.
Toutes ces choses m'appartiennent,
je ne les ai pas toutes payées, ce n'est pas fini,
mais elles m'appartiennent
et c'est à moi, directement,
qu'on viendrait les reprendre si je ne les payais pas.

Et quoi d'autre encore ?
Je parle trop mais ce n'est pas vrai,
je parle beaucoup quand il y a quelqu'un, mais le reste du
temps, non,
sur la durée cela compense,
je suis proportionnellement plutôt silencieuse.
Nous avons une voiture, ce n'est pas seulement la mienne
mais elle n'a pas voulu apprendre à conduire,
elle dit qu'elle a peur,
et je suis le chauffeur.
C'est bien pratique, cela nous rend service et on n'est pas
toujours obligées de demander aux autres.

C'est tout.

Ce que je veux dire, c'est que tout va bien et que tu aurais
eu tort,
en effet,
de t'inquiéter.

Scène 4

LA MÈRE. – Le dimanche...

ANTOINE. – Maman !

LA MÈRE. – Je n'ai rien dit,
je racontais à Catherine.
Le dimanche...

ANTOINE. – Elle connaît ça par cœur.

CATHERINE. – Laisse-la parler,
tu ne veux laisser parler personne.
Elle allait parler.

LA MÈRE. – Cela le gêne.

On travaillait,
leur père travaillait, je travaillais
et le dimanche
– je raconte, n'écoute pas –,
le dimanche, parce que, en semaine, les soirs sont courts,
on devait se lever le lendemain, les soirs de la semaine ce
n'était pas la même chose,
le dimanche, on allait se promener.
Toujours et systématique.

CATHERINE. – Où est-ce que tu vas, qu'est-ce que tu fais ?

ANTOINE. – Nulle part,
je ne vais nulle part,
où veux-tu que j'aille ?
Je ne bouge pas, j'écoutais.
Le dimanche.

LOUIS. – Reste avec nous, pourquoi non ? C'est triste.

LA MÈRE. – Ce que je disais :
tu ne le connais plus, le même mauvais caractère,
borné,
enfant déjà, rien d'autre !
Et par plaisir souvent,
tu le vois là comme il a toujours été.

Le dimanche
– ce que je raconte –
le dimanche nous allions nous promener.
Pas un dimanche où on ne sortait pas, comme un rite, je
disais cela, un rite,
une habitude.
On allait se promener, impossible d'y échapper.

SUZANNE. – C'est l'histoire d'avant,
lorsque j'étais trop petite
ou lorsque je n'existais pas encore.

LA MÈRE. – Bon, on prenait la voiture,
aujourd'hui vous ne faites plus ça,
on prenait la voiture,
nous n'étions pas extrêmement riches, non, mais nous
avions une voiture et je ne crois pas avoir jamais connu leur
père sans une voiture.
Avant même que nous nous marions, mariions ?
avant qu'on ne soit mariés, je le voyais déjà
– je le regardais –
il avait une voiture,
une des premières dans ce coin-ci,
vieille et laide et faisant du bruit, trop,
mais, bon, c'était une voiture,
il avait travaillé et elle était à lui,
c'était la sienne, il n'en était pas peu fier.

ANTOINE. – On lui fait confiance.

LA MÈRE. – Ensuite, notre voiture, plus tard,
mais ils ne doivent pas se souvenir,
ils ne peuvent pas, ils étaient trop petits,
je ne me rends pas compte, oui, peut-être,
nous en avions changé,
notre voiture était longue, plutôt allongée,
« aérodynamique »,
et noire,
parce que noir, il disait cela, ses idées,
noir cela serait plus « chic », son mot,
mais bien plutôt parce que en fait il n'en avait pas trouvé
d'autre.
Rouge, je le connais, rouge, voilà, je crois, ce qu'il aurait
préféré.

Le matin du dimanche, il la lavait, il l'astiquait, un
maniaque,
cela lui prenait deux heures
et l'après-midi, après avoir mangé,
on partait.
Toujours été ainsi, je ne sais pas,
plusieurs années, belles et longues années,
tous les dimanches comme une tradition,
pas de vacances, non, mais tous les dimanches,
qu'il neige, qu'il vente,
il disait les choses comme ça, des phrases pour chaque
situation de l'existence,
« qu'il pleuve, qu'il neige, qu'il vente »,
tous les dimanches, on allait se promener.

Quelquefois aussi,
le premier dimanche de mai, je ne sais plus pourquoi,
une fête peut-être,
le premier dimanche après le 8 mars qui est la date de mon
anniversaire, là,

et lorsque le 8 mars tombait un dimanche, bon,
et encore le premier dimanche des congés d'été
– on disait qu'on « partait en vacances », on klaxonnait, et
le soir, en rentrant, on disait que tout compte fait, on était
mieux à la maison,
des âneries –
et un peu aussi avant la rentrée des classes, l'inverse, là,
comme si on rentrait de vacances, toujours les mêmes
histoires,
quelquefois,
ce que j'essaie de dire,
nous allions au restaurant,
toujours les mêmes restaurants, pas très loin et les patrons
nous connaissaient et on y mangeait toujours les mêmes
choses,
les spécialités et les saisons,
la friture de carpe ou des grenouilles à la crème, mais ceux-
là n'aiment pas ça.

Après, ils eurent treize et quatorze ans,
Suzanne était petite, ils ne s'aimaient pas beaucoup, ils se
chamaillaient toujours, ça mettait leur père en colère, ce
furent les dernières fois et plus rien n'était pareil.

Je ne sais pas pourquoi je raconte ça, je me tais.

Des fois encore,
des pique-niques, c'est tout, on allait au bord de la rivière,
oh là là là !
bon, c'est l'été et on mange sur l'herbe, salade de thon
avec du riz et de la mayonnaise et des œufs durs
– celui-là aime toujours autant les œufs durs –
et ensuite, on dormait un peu, leur père et moi, sur la
couverture, grosse couverture verte et rouge,
et eux, ils allaient jouer à se battre.
C'était bien.

Après, ce n'est pas méchant ce que je dis,
après ces deux-là sont devenus trop grands, je ne sais plus,
est-ce qu'on peut savoir comment tout disparaît ?
ils ne voulurent plus venir avec nous, ils allaient chacun de
leur côté faire de la bicyclette, chacun pour soi,
et nous seulement avec Suzanne,
cela ne valait plus la peine.

ANTOINE. – C'est notre faute.

SUZANNE. – Ou la mienne.

Scène 5

LOUIS. – C'était il y a dix jours à peine peut-être
– où est-ce que j'étais ? –
ce devait être il y a dix jours
et c'est peut-être aussi pour cette unique et infime raison
que je décidai de revenir ici.
Je me suis levé
et j'ai dit que je viendrais les voir,
rendre visite,
et ensuite, les jours suivants,
malgré les excellentes raisons que je me suis données,
je n'ai plus changé d'avis.

Il y a dix jours,
j'étais dans mon lit et je me suis éveillé,
calmement, paisible
– cela fait longtemps,
aujourd'hui un an, je l'ai dit au début,
cela fait longtemps que cela ne m'arrive plus et que je me
retrouve toujours, chaque matin, avec juste en tête pour
commencer, commencer à nouveau,
juste en tête l'idée de ma propre mort à venir –

je me suis éveillé, calmement, paisible,
avec cette pensée étrange et claire

je ne sais pas si je pourrai bien la dire

avec cette pensée étrange et claire
que mes parents, que mes parents,
et les gens encore, tous les autres, dans ma vie,
les gens les plus proches de moi,
que mes parents et tous ceux que j'approche ou qui
s'approchèrent de moi,
mon père aussi par le passé, admettons que je m'en
souvienne,
ma mère, mon frère là aujourd'hui
et ma sœur encore,
que tout le monde après s'être fait une certaine idée de moi,
un jour ou l'autre ne m'aime plus, ne m'aima plus
et qu'on ne m'aime plus
(ce que je veux dire)
« au bout du compte »,
comme par découragement, comme par lassitude de moi,
qu'on m'abandonna toujours car je demande l'abandon

c'était cette impression, je ne trouve pas les mots,
lorsque je me réveillai
– un instant, on sort du sommeil, tout est limpide, on croit
le saisir, pour disparaître aussitôt –
qu'on m'abandonna toujours,
peu à peu,
à moi-même, à ma solitude au milieu des autres,
parce qu'on ne saurait m'atteindre,
me toucher,
et qu'il faut renoncer,

et on renonce à moi, ils renoncèrent à moi,
tous,
d'une certaine manière,

après avoir tant cherché à me garder auprès d'eux,
à me le dire aussi,
parce que je les en décourage,
et parce qu'ils veulent comprendre que me laisser en paix,
semblant ne plus se soucier de moi, c'est m'aimer plus
encore.

Je compris que cette absence d'amour dont je me plains
et qui toujours fut pour moi l'unique raison de mes lâche-
tés,
sans que jamais jusqu'alors je ne la voie,
que cette absence d'amour fit toujours plus souffrir les
autres que moi.

Je me réveillai avec l'idée étrange et désespérée et indes-
tructible encore
qu'on m'aimait déjà vivant comme on voudrait m'aimer
mort
sans pouvoir et savoir jamais rien me dire.

Scène 6

LOUIS. – Vous ne dites rien, on ne vous entend pas.

CATHERINE. – Pardon, non, je ne sais pas.
Que voulez-vous que je dise ?

LOUIS. – Je suis désolé pour l'incident, tout à l'heure,
je voulais que vous le sachiez.
Je ne sais pas pourquoi il a dit ça, je n'ai pas compris,
Antoine.
Il veut toujours que je ne m'intéresse pas, il a dû vous
prévenir contre moi.

CATHERINE. – Je n'y songeais pas, je n'y songeais plus, ce
n'était pas important.

Pourquoi dites-vous ça :
« il a dû vous prévenir contre moi »,
qu'il a dû « me prévenir contre vous »,
c'est une drôle d'idée.
Il parle de vous comme il doit et il n'en parle de toute façon
pas souvent,
presque jamais,
je ne crois pas qu'il parle de vous et jamais en ces termes,
rien entendu de tel, vous vous trompez.

Il croit, je crois cela, il croit que vous ne voulez rien savoir
de lui, c'est ça, que vous ne voulez rien savoir de sa vie,
que sa vie, ce n'est rien pour vous,
moi, les enfants, tout ça, son métier, le métier qu'il fait...
Vous connaissez son métier, vous savez ce qu'il fait dans
la vie ?
On ne dit pas vraiment un métier,
vous, vous avez un métier, un métier c'est ce qu'on a
appris, ce pour quoi on s'est préparé, je ne me trompe
pas ?
Vous connaissez sa situation ?
Elle n'est pas mauvaise, elle pourrait être plus mauvaise,
elle n'est pas mauvaise du tout.
Sa situation, vous ne la connaissez pas,
est-ce que vous connaissez son travail ? Ce qu'il fait ?
Ce n'est pas un reproche, ça m'ennuierait que vous le
preniez ainsi,
si vous le prenez ainsi ce n'est pas bien et vous avez tort,
ce n'est pas un reproche :
moi-même, ce que je peux dire, moi-même je ne saurais
exactement, avec exactitude, je ne saurais vous dire son
rôle.
Il travaille dans une petite usine d'outillage,
par là,
on dit comme ça, une petite usine d'outillage, je sais où
c'est,
parfois je vais l'attendre,
maintenant presque plus mais avant j'allais l'attendre,

il construit des outils, j'imagine, c'est logique, je suppose,
qu'est-ce qu'il y a à raconter ?
Il doit construire des outils mais je ne saurais pas non plus
expliquer toutes les petites opérations qu'il accumule
chaque jour et je ne saurais pas vous reprocher de ne pas le
savoir non plus, non.
Mais lui, il peut en déduire,
il en déduit certainement,
que sa vie ne vous intéresse pas
ou si vous préférez – je ne voudrais pas avoir l'air de vous
faire un mauvais procès –, il croit probablement,
je pense qu'il est ainsi
et vous devez vous en souvenir, il ne devait pas être
différent plus jeune,
il croit probablement que ce qu'il fait n'est pas intéressant
ou susceptible, le mot exact, ou susceptible de vous
intéresser.
Et ce n'est pas être méchante
(méchant, peut-être ?)
et ce n'est pas être méchant, oui,
que de penser qu'il n'a pas totalement tort,
vous ne croyez pas ? ou je me trompe ? Je suis en train de
me tromper ?

Louis. – Ce n'est pas être méchant, en effet,
c'est plus juste.
Je souhaite, quant à moi, ce que je souhaitais,
je serais heureux de pouvoir...

Catherine. – Ne me dites rien, je vous interromps,
il est bien préférable que vous ne me disiez rien et que vous
lui disiez à lui ce que vous avez à lui dire.
Je pense que c'est mieux et vous n'y verrez pas d'inconvé-
nient.
Moi, je ne compte pas et je ne rapporterai rien,
je suis ainsi
ce n'est pas mon rôle
ou pas comme ça, du moins, que je l'imagine.

Vous voici, à votre tour,
comment est-ce que vous avez dit ?
« prévenu contre moi ».

LOUIS. – Je n'ai rien à dire ou ne pas dire, je ne vois pas.

CATHERINE. – Très bien, parfait alors, à plus forte raison.

LOUIS. – Revenez ! Catherine !

Scène 7

SUZANNE. – Cette fille-là, on ne croit pas, la première fois
où on la regarde,
on la suppose fragile et démunie, tuberculeuse ou orphe-
line depuis cinq générations,
mais on se trompe,
il ne faut pas s'y fier :
elle sait choisir et décider,
elle est simple, claire, précise.
Elle énonce bien.

LOUIS. – Toujours comme ça, toi, Suzanne ?

SUZANNE. – Moi ?

LOUIS. – Oui. « Comme ça. » Donnant « ton avis » ?

SUZANNE. – Non, à vrai dire,
de moins en moins.
Aujourd'hui, un peu, mais presque plus.
Dernière salve en ton honneur, juste pour te donner des
regrets.
Oui ?
Pardon ?

Louis. – Quoi ?

Suzanne. – En général, à l'ordinaire, Antoine, à ce moment-là,
Antoine me dit :
« Ta gueule, Suzanne. »

Louis. – Excuse-moi, je ne savais pas.
« Ta gueule, Suzanne. »

Scène 8

La Mère. – Cela ne me regarde pas,
je me mêle souvent de ce qui ne me regarde pas, je ne
change pas, j'ai toujours été ainsi.
Ils veulent te parler, tout ça,
je les ai entendus
mais aussi je les connais,
je sais,
comment est-ce que je ne saurais pas ?
Je n'aurais pas entendu, je pourrais plus simplement
encore deviner,
je devinerais de moi-même, cela reviendrait au même.
Ils veulent te parler,
ils ont su que tu revenais et ils ont pensé qu'ils pourraient
te parler,
un certain nombre de choses à te dire depuis longtemps et
la possibilité enfin.

Ils voudront t'expliquer mais ils t'expliqueront mal,
car ils ne te connaissent pas, ou mal.
Suzanne ne sait pas qui tu es,
ce n'est pas connaître, cela, c'est imaginer,
toujours elle imagine et ne sait rien de la réalité,
et lui, Antoine,
Antoine, c'est différent,

il te connaît mais à sa manière comme tout et tout le monde, comme il connaît chaque chose ou comme il veut la connaître,

s'en faisant une idée et ne voulant plus en démordre.

Ils voudront t'expliquer
et il est probable qu'ils le feront
et maladroitement,
ce que je veux dire,
car ils auront peur du peu de temps que tu leur donnes,
du peu de temps que vous passerez ensemble
– moi non plus, je ne me fais pas d'illusion, moi aussi je me doute que tu ne vas pas traîner très longtemps auprès de nous, dans ce coin-ci.
Tu étais à peine arrivé,
je t'ai vu,
tu étais à peine arrivé tu pensais déjà que tu avais commis une erreur et tu aurais voulu aussitôt repartir,
ne me dis rien, ne me dis pas le contraire – ils auront peur (c'est la peur, là aussi)
ils auront peur du peu de temps et ils s'y prendront maladroitement,
et cela sera mal dit ou dit trop vite,
d'une manière trop abrupte, ce qui revient au même,
et brutalement encore,
car ils sont brutaux, l'ont toujours été et ne cessent de le devenir,
et durs aussi,
c'est leur manière,
et tu ne comprendras pas, je sais comment cela se passera et s'est toujours passé.
Tu répondras à peine deux ou trois mots
et tu resteras calme comme tu appris à l'être par toi-même
– ce n'est pas moi ou ton père,
ton père encore moins,
ce n'est pas nous qui t'avons appris cette façon si habile et détestable d'être paisible en toutes circonstances, je ne m'en souviens pas

ou je ne suis pas responsable –
tu répondras à peine deux ou trois mots,
ou tu souriras, la même chose,
tu leur souriras
et ils ne se souviendront, plus tard,
ensuite, par la suite,
le soir en s'endormant,
ils ne se souviendront que de ce sourire,
c'est la seule réponse qu'ils voudront garder de toi,
et c'est ce sourire qu'ils ressasseront et ressasseront encore,
rien ne sera changé, bien au contraire,
et ce sourire aura aggravé les choses entre vous,
ce sera comme la trace du mépris, la pire des plaies.

Elle, Suzanne, sera triste à cause de ces deux ou trois mots,
à cause de « ces juste deux ou trois mots » jetés en pâture,
ou à cause de ce sourire que j'ai dit,
et à cause de ce sourire,
ou de ces « juste deux ou trois mots »,
Antoine sera plus dur encore,
et plus brutal,
lorsqu'il devra parler de toi,
ou silencieux et refusant d'ouvrir la bouche,
ce qui sera plus mal encore.

Suzanne voudrait partir,
elle l'a déjà dit peut-être,
aller loin et vivre une autre vie
(ce qu'elle croit)
dans un autre monde, ces histoires-là.
Rien de bien différent, si on s'en souvient
(je m'en souviens)
rien de bien différent de toi, plus jeune qu'elle
et rien de moins grave encore.
Le même abandon.
Lui, Antoine, il voudrait plus de liberté, je ne sais pas,
le mot qu'il emploie lorsqu'il est en colère

– on ne croirait pas à le voir mais souvent il est un homme
en colère –
il voudrait pouvoir vivre autrement avec sa femme et ses
enfants
et ne plus rien devoir,
autre idée qui lui tient à cœur et qu'il répète,
ne plus rien devoir.
À qui, à quoi ? Je ne sais pas, c'est une phrase qu'il dit
parfois, de temps à autre,
« ne plus rien devoir ».
Bon. Je l'écoute. Tout ça et rien de plus.

Et c'est à toi qu'ils veulent demander cela,
c'est à toi qu'ils semblent vouloir demander l'autorisation,
c'est une idée étrange
et tu te dis que tu ne comprends pas,
que tu ne leur dois rien
et qu'ils ne te doivent rien
et qu'ils peuvent faire ce qu'ils veulent de leur vie,
cela, d'une certaine manière
et ce n'est pas te faire injure,
cela t'est bien égal et ne te concerne pas.
Tu n'as peut-être pas tort,
il y a trop de temps passé (toute l'histoire vient de là),
tu ne voulus jamais être responsable et on ne saurait jamais
t'y obliger.
(Tu te dis peut-être aussi, je ne sais pas,
je parle,
tu te dis peut-être aussi que je me trompe,
que j'invente,
et qu'ils n'ont rien à te dire
et que la journée se terminera ainsi comme elle a com-
mencé,
sans nécessité, sans importance. Bien. Peut-être.)

Ce qu'ils veulent, ce qu'ils voudraient, c'est que tu les
encourages peut-être

– est-ce qu'ils ne manquèrent pas toujours de ça, qu'on les encourage ? –
que tu les encourages, que tu les autorises ou que tu leur interdises de faire telle ou telle chose,
que tu leur dises,
que tu dises à Suzanne
– même si ce n'est pas vrai, un mensonge qu'est-ce que ça fait ? Juste une promesse qu'on fait en sachant par avance qu'on ne la tiendra pas –
que tu dises à Suzanne de venir, parfois,
deux ou trois fois l'an,
te rendre visite,
qu'elle pourra,
qu'elle pourrait te rendre visite, si l'envie lui vient,
si l'envie la prenait,
qu'elle pourrait aller là où tu vis maintenant
(nous ne savons pas où tu vis).
Qu'elle peut bouger et partir et revenir encore et que tu t'y intéresses,
non que tu parais t'y intéresser mais que tu t'y intéresses,
que tu t'en soucies.

Que tu lui donnes à lui,
Antoine,
le sentiment qu'il n'est plus responsable de nous,
d'elle ou de moi
– il ne l'a jamais été,
je sais cela mieux que quiconque,
mais il a toujours cru qu'il l'était,
il a toujours voulu le croire
et c'était toujours ainsi, toutes ces années,
il se voulait responsable de moi et responsable de Suzanne
et rien ne lui semble autant un devoir dans sa vie
et une douleur aussi et une sorte de crime pour voler un rôle
qui n'est pas le sien –
que tu lui donnes le sentiment,
l'illusion,

que tu lui donnes l'illusion qu'il pourrait à son tour, à son
heure, m'abandonner,
commettre une lâcheté comme celle-là
(à ses yeux, j'en suis certaine, c'en est une),
qu'il aurait le droit, qu'il en est capable.
Il ne le fera pas,
il se construira d'autres embûches
ou il se l'interdira pour des raisons plus secrètes encore
mais il aimerait tellement l'imaginer, oser l'imaginer.
C'est un garçon qui imagine si peu, cela me fait souffrir.

Ils voudraient tous les deux que tu sois plus là,
plus présent,
plus souvent présent,
qu'ils puissent te joindre, t'appeler,
se quereller avec toi et se réconcilier et perdre le respect,
ce fameux respect obligé pour les frères aînés,
absents ou étranges.
Tu serais un peu responsable
et ils deviendraient à leur tour,
ils en auraient le droit et pourraient en abuser,
ils deviendraient à leur tour enfin des tricheurs à part
entière.

Petit sourire ?
Juste « ces deux ou trois mots » ?

LOUIS. – Non.
Juste le petit sourire. J'écoutais.

LA MÈRE. – C'est ce que je dis.
Tu as quel âge,
quel âge est-ce que tu as, aujourd'hui ?

LOUIS. – Moi ?
Tu demandes ?
J'ai trente-quatre ans.

LA MÈRE. – Trente-quatre années.
Pour moi aussi, cela fait trente-quatre années.
Je ne me rends pas compte :
c'est beaucoup de temps ?

Scène 9

LA MÈRE. – C'est l'après-midi, toujours été ainsi :
le repas dure plus longtemps,
on n'a rien à faire, on étend ses jambes.

CATHERINE. – Vous voulez encore du café ?

SUZANNE. – Tu vas le vouvoyer toute la vie, ils vont se
vouvoyer toujours ?

ANTOINE. – Suzanne, ils font comme ils veulent !

SUZANNE. – Mais merde, toi, à la fin !
Je ne te cause pas, je ne te parle pas, ce n'est pas à toi que
je parle !
Il a fini de s'occuper de moi, comme ça, tout le temps,
tu ne vas pas t'occuper de moi tout le temps,
je ne te demande rien,
qu'est-ce que j'ai dit ?

ANTOINE. – Comment est-ce que tu me parles ?
Tu me parles comme ça,
jamais je ne t'ai entendue.
Elle veut avoir l'air,
c'est parce que Louis est là, c'est parce que tu es là,
tu es là et elle veut avoir l'air.

SUZANNE. – Qu'est-ce que ça a à voir avec Louis,
qu'est-ce que tu racontes ?
Ce n'est pas parce que Louis est là,

qu'est-ce que tu dis ?
Merde, merde et merde encore !
Compris ? Entendu ? Saisi ?
Et bras d'honneur si nécessaire ! Voilà, bras d'honneur !

LA MÈRE. – Suzanne !
Ne la laisse pas partir,
qu'est-ce que c'est que ces histoires ?
Tu devrais la rattraper !

ANTOINE. – Elle reviendra.

LOUIS. – Oui, je veux bien, un peu de café, je veux bien.

ANTOINE. – « Oui, je veux bien, un peu de café, je veux
bien. »

CATHERINE. – Antoine !

ANTOINE. – Quoi ?

LOUIS. – Tu te payais ma tête, tu essayais.

ANTOINE. – Tous les mêmes, vous êtes tous les mêmes !
Suzanne !

CATHERINE. – Antoine ! Où est-ce que tu vas ?

LA MÈRE. – Ils reviendront.
Ils reviennent toujours.

Je suis contente, je ne l'ai pas dit, je suis contente que nous
soyons tous là, tous réunis.
Où est-ce que tu vas ?
Louis !

Catherine reste seule.

LOUIS. – Au début, ce que l'on croit
– j'ai cru cela –
ce qu'on croit toujours, je l'imagine,
c'est rassurant, c'est pour avoir moins peur,
on se répète à soi-même cette solution comme aux enfants
qu'on endort,
ce qu'on croit un instant,
on l'espère,
c'est que le reste du monde disparaîtra avec soi,
que le reste du monde pourrait disparaître avec soi,
s'éteindre, s'engloutir et ne plus me survivre.
Tous partir avec moi et m'accompagner et ne plus jamais
revenir.
Que je les emporte et que je ne sois pas seul.

Ensuite, mais c'est plus tard
– l'ironie est revenue, elle me rassure et me conduit à
nouveau –
ensuite on songe, je songeai,
on songe à voir les autres, le reste du monde, après la mort.
On les jugera.
On les imagine à la parade, on les regarde,
ils sont à nous maintenant, on les observe et on ne les aime
pas beaucoup,
les aimer trop rendrait triste et amer et ce ne doit pas être
la règle.
On les devine par avance,
on s'amuse, je m'amusais,
on les organise et on fait et refait l'ordre de leurs vies.
On se voit aussi, allongé, les regardant des nuages, je ne
sais pas, comme dans les livres d'enfants, c'est une idée
que j'ai.
Que feront-ils de moi lorsque je ne serai plus là ?

On voudrait commander, régir, profiter médiocrement de
leur désarroi et les mener encore un peu.
On voudrait les entendre, je ne les entends pas,
leur faire dire des bêtises définitives
et savoir enfin ce qu'ils pensent.
On pleure.
On est bien.
Je suis bien.

Parfois, c'est comme un sursaut,
parfois, je m'agrippe encore, je deviens haineux,
haineux et enragé,
je fais les comptes, je me souviens.
Je mords, il m'arrive de mordre.
Ce que j'avais pardonné je le reprends,
un noyé qui tuerait ses sauveteurs, je leur plonge la tête
dans la rivière,
je vous détruis sans regret avec férocité.
Je dis du mal.
Je suis dans mon lit, c'est la nuit, et parce que j'ai peur,
je ne saurais m'endormir,
je vomis la haine.
Elle m'apaise et m'épuise
et cet épuisement me laissera disparaître enfin.
Demain, je suis calme à nouveau, lent et pâle.
Je vous tue les uns après les autres, vous ne le savez pas
et je suis l'unique survivant,
je mourrai le dernier.
Je suis un meurtrier et les meurtriers ne meurent pas,
il faudra m'abattre.
Je pense du mal.
Je n'aime personne,
je ne vous ai jamais aimés, c'était des mensonges,
je n'aime personne et je suis solitaire,
et solitaire, je ne risque rien,
je décide de tout,
la Mort aussi, elle est ma décision

et mourir vous abîme et c'est vous abîmer que je veux.
Je meurs par dépit, je meurs par méchanceté et mesqui-
nerie,
je me sacrifie.
Vous souffrirez plus longtemps et plus durement que moi
et je vous verrai, je vous devine, je vous regarderai
et je rirai de vous et haïrai vos douleurs.
Pourquoi la Mort devrait-elle me rendre bon ?
C'est une idée de vivant inquiet de mes possibles égare-
ments.
Mauvais et médiocre, je n'ai plus que de minuscules
craintes et infimes soucis,
rien de pire :
que ferez-vous de moi et de toutes ces choses qui m'appar-
tenaient ?
Ce n'est pas beau mais ne pas être beau me laissera moins
regrettable.

Plus tard encore,
c'est il y a quelques mois,
je me suis enfui.
Je visite le monde, je veux devenir voyageur, errer.
Tous les agonisants ont ces prétentions, se fracasser la tête
contre les vitres de la chambre,
donner de grands coups d'aile imbéciles,
errer, perdu déjà et
croire disparaître,
courir devant la Mort,
prétendre la semer,
qu'elle ne puisse jamais m'atteindre ou qu'elle ne sache
jamais où me retrouver.
Là où j'étais et fus toujours, je ne serai plus, je serai loin,
caché dans les grands espaces, dans un trou,
à me mentir et ricaner.
Je visite.
J'aime être dilettante, un jeune homme faussement fragile
qui s'étiole et prend des poses.

Je suis un étranger. Je me protège. J'ai les mines de circonstance.

Il aurait fallu me voir, avec mon secret, dans la salle d'attente des aéroports, j'étais convaincant !

La Mort prochaine et moi,
nous faisons nos adieux,
nous nous promenons,
nous marchons la nuit dans les rues désertes légèrement embrumées et nous nous plaisons beaucoup.

Nous sommes élégants et désinvoltes,
nous sommes assez joliment mystérieux,
nous ne laissons rien deviner
et les réceptionnistes, la nuit, éprouvent du respect pour nous, nous pourrions les séduire.

Je ne faisais rien,
je faisais semblant,
j'éprouvais la nostalgie.

Je découvre des pays, je les aime littéraires, je lis des livres,
je revois quelques souvenirs,
je fais parfois de longs détours pour juste recommencer,
et d'autres jours,
sans que je sache ou comprenne,
il m'arrivait de vouloir tout éviter et ne plus reconnaître.
Je ne crois en rien.

Mais lorsqu'un soir,
sur le quai de la gare
(c'est une image assez convenue),
dans une chambre d'hôtel,
celui-là « Hôtel d'Angleterre, Neuchâtel, Suisse » ou un autre, « Hôtel du Roi de Sicile », cela m'est bien égal,
ou dans la seconde salle à manger d'un restaurant plein de joyeux fêtards où je dînais seul dans l'indifférence et le bruit,
on vint doucement me tapoter l'épaule en me disant avec un gentil sourire triste de gamin égaré :

« À quoi bon ? »
ce « à quoi bon »
rabatteur de la Mort
– elle m'avait enfin retrouvé sans m'avoir cherché –,
ce « à quoi bon » me ramena à la maison, m'y renvoya,
m'encourageant à revenir de mes dérisoires et vaines
escapades
et m'ordonnant désormais de cesser de jouer.
Il est temps.

Je traverse à nouveau le paysage en sens inverse.
Chaque lieu, même le plus laid ou le plus idiot,
je veux noter que je le vois pour la dernière fois,
je prétends le retenir.
Je reviens et j'attends.
Je me tiendrai tranquille, maintenant, je promets,
je ne ferai plus d'histoires,
digne et silencieux, ces mots qu'on emploie.
Je perds. J'ai perdu.
Je range, je mets de l'ordre, je viens ici rendre visite, je
laisse les choses en l'état, j'essaie de terminer, de tirer des
conclusions, d'être paisible.
Je ne gesticule plus et j'émets des sentences symboliques
pleines de sous-entendus gratifiants.
Je me complais.
Rien ne me flatte autant, désormais, que ma propre angoisse.
Il m'arrivait aussi parfois,
« les derniers temps »,
de me sourire à moi-même comme pour une photographie
à venir.
Vos doigts se la repassent en prenant garde de ne pas la salir
ou d'y laisser de coupables empreintes.
« Il était exactement ainsi »
et c'est tellement faux,
si vous réfléchissiez un instant vous pourriez l'admettre,
c'était tellement faux,
je faisais juste mine de.

LOUIS. – Je ne suis pas arrivé ce matin, j'ai voyagé cette nuit,
je suis parti hier soir et je voulais arriver plus tôt et j'ai renoncé en cours de route,
je me suis arrêté,
ce que je voulais dire,
et j'étais à la gare, ce matin,
dès trois ou quatre heures.
J'attendais le moment décent pour venir ici.

ANTOINE. – Pourquoi est-ce que tu me racontes ça ?
Pourquoi est-ce que tu me dis ça ?
Qu'est-ce que je dois répondre,
je dois répondre quelque chose ?

LOUIS. – Je ne sais pas, non,
je te dis ça, je voulais que tu le saches,
ce n'est pas important,
je te le dis parce que c'est vrai et je voulais te le dire.

ANTOINE. – Ne commence pas.

LOUIS. – Quoi ?

ANTOINE. – Tu sais. Ne commence pas,
tu voudras me raconter des histoires,
je vais me perdre,
je te vois assez bien, tu vas me raconter des histoires.
Tu étais à la gare, tu attendais,
et peu à peu, tu vas me noyer.
Bon.
Tu as voyagé cette nuit, c'était bien ? Comment est-ce que c'était ?

Louis. – Non, je disais cela, c'est sans importance.

Oui, c'était bien.

Je ne sais pas, un voyage assez banal, vous semblez toujours vouloir croire que j'habite à des milliers, centaines, milliers de kilomètres.

J'ai voyagé, c'est tout.

Je ne dis rien si tu ne veux rien dire.

Antoine. – Ce n'est pas le problème,

je n'ai rien dit, je t'écoute.

Tout de suite, aussitôt, je ne t'empêchais pas.

Oui ?

La gare ?

Louis. – Non, rien, rien qui vaille la peine,

rien d'essentiel,

je disais cela, je pensais que peut-être tu aurais été heureux,

bon,

pas heureux, content,

je pensais que tu aurais pu être content que je te le dise,

ou de le savoir, heureux de le savoir.

J'étais au buffet de la gare,

je ne sais pas à quelle heure je suis arrivé, vers quatre heures peut-être,

j'étais au buffet et j'attendais, j'étais là, je n'allais pas venir directement ici,

manquer si longtemps et débarquer ainsi à l'improviste,

non, elles auraient pu avoir peur,

ou encore elles ne m'auraient pas ouvert

– j'imagine assez Suzanne, là, comme je la vois, je la découvre, j'imagine assez Suzanne me recevant avec une carabine –

non,

j'attendais et je me suis dit,

j'y pensais et c'est pour ça que j'en ai parlé,

ce sont des idées qui traversent la tête et on se dit plus tard qu'on devra les répéter (des recommandations qu'on se fait),

je me suis dit,

je me suis fait la recommandation donc de te le dire plus tard lorsque je te verrais,

et aussi oui, de ne le dire qu'à toi, surtout, c'est bien le but, leur cacher car elles pourraient être fâchées,

je me suis dit que je te dirais que j'étais arrivé beaucoup plus tôt et que j'avais traîné un peu.

ANTOINE. – C'est cela,

c'est exactement cela, ce que je disais,

les histoires,

et après on se noie

et moi,

il faut que j'écoute et je ne saurai jamais ce qui est vrai et ce qui est faux,

la part du mensonge.

Tu es comme ça,

s'il y a bien une chose

(non, ce n'est pas la seule !),

s'il y a bien une chose que je n'ai pas oubliée en songeant à toi,

c'est tout cela, ces histoires pour rien,

des histoires, je ne comprends rien.

Tu ne disais rien.

Tu buvais ton café, tu devais boire un café

et tu avais mal au ventre parce que tu ne fumes pas et que les endroits comme celui-là, tôt le matin,

je le sais mieux que toi,

les endroits comme celui-là puent la fumée et donnent envie de dégueuler,

avec la fumée qui te descend dessus et te donne mal à la tête et aux yeux.

Tu lisais le journal,

tu dois être devenu ce genre d'hommes qui lisent les

journaux, des journaux que je ne lis jamais
– parfois, assis en face de moi, je vois des hommes qui
lisent ces journaux et je pense à toi et je me dis, voilà les
journaux que doit lire mon frère, il doit ressembler à ces
hommes-là, et j'essaie de lire à l'envers et puis aussitôt
j'abandonne et je m'en fiche, je fais comme je veux ! –
tu essayais de lire le journal
parce que, le dimanche matin, au buffet de la gare,
tu as tous les gosses qui sont allés faire la fête
et ils font du bruit et ils continuent à s'amuser
et toi, dans ton coin,
tu ne peux même pas lire, te concentrer sur ta lecture
et la fumée des cigarettes te donne juste envie de repartir,
c'est à cela que tu penses, point.
Tu regrettais,
tu regrettes d'avoir fait ce voyage-là,
tu ne regrettes pas, tu ne sais pas pourquoi tu es venu, tu
n'en connais pas la raison.
Moi non plus, je ne sais pas pourquoi tu es venu
et personne ne comprend,
et tu veux regretter qu'on ne sache pas,
parce que si nous savions, si je savais,
les choses te seraient plus faciles, moins longues
et tu serais déjà débarrassé de cette corvée.

Tu es venu parce que tu l'as décidé,
cela t'a pris un jour,
l'idée, juste une idée.
Comment est-ce que tu as dit ?
Une « recommandation » que tu t'es fait, faite ? merde,
ou encore, depuis de nombreuses années,
est-ce que je sais, comment est-ce que je pourrais savoir ?
peut-être depuis le premier jour,
à peine parti, dans le train, ou dès le lendemain, aussitôt
– toujours été comme ça à regretter tout et son contraire –
depuis de nombreuses années maintenant, tu te disais,
tu ne cessais de te le répéter,

tu te disais que tu devrais bien un jour revenir nous rendre visite,

nous voir, nous revoir,

et là, subitement, tu t'es décidé, je ne sais pas.

Tu crois que c'est important pour moi ?

Tu te trompes, ce n'est pas important pour moi, cela ne peut plus l'être.

Tu ne te disais rien, je sais, je te vois.

Tu ne te disais rien,

tu ne pensais pas que tu me dirais quelque chose,

que tu me dirais quoi que ce soit,

ce sont des sottises, tu inventes.

C'est là, à l'instant,

tu m'as vu,

et tu as inventé tout ça pour me parler.

Tu ne te disais rien parce que tu ne me connais pas,

tu crois me connaître mais tu ne me connais pas,

tu me connaîtrais parce que je suis ton frère ?

Ce sont aussi des sottises,

tu ne me connais plus, il y a longtemps que tu ne me connais plus,

tu ne sais pas qui je suis,

tu ne l'as jamais su,

ce n'est pas de ta faute et ce n'est pas de la mienne non plus,

moi non plus, je ne te connais pas

(mais moi, je ne prétends rien),

on ne se connaît pas

et on ne s'imagine pas qu'on dira telle ou telle chose à quelqu'un qu'on ne connaît pas.

Ce qu'on veut dire à quelqu'un qu'on imagine,

on l'imagine aussi,

des histoires et rien d'autre.

Ce que tu veux, ce que tu voulais,

tu m'as vu et tu ne sais pas comment m'attraper,

« comment me prendre »

– vous dites toujours ça, « on ne sait pas comment le prendre »
et aussi, je vous entends, « il faut savoir le prendre »,
comme on le dit d'un homme méchant et brutal –
tu voulais m'attraper et tu as jeté ça,
tu entames la conversation, tu sais bien faire,
c'est une méthode, c'est juste une technique pour noyer et tuer les animaux,
mais moi, je ne veux pas,
je n'ai pas envie.
Pourquoi tu es là, je ne veux pas le savoir,
tu as le droit, c'est tout et rien de plus,
et ne pas être là, tu as le droit également,
c'est pareil pour moi.
Ici, d'une certaine manière, c'est chez toi et tu peux y être chaque fois que tu le souhaites et encore, tu peux en partir,
toujours le droit,
cela ne me concerne pas.
Tout n'est pas exceptionnel dans ta vie,
dans ta petite vie,
c'est une petite vie aussi, je ne dois pas avoir peur de ça,
tout n'est pas exceptionnel,
tu peux essayer de rendre tout exceptionnel
mais tout ne l'est pas.

Louis. – Où est-ce que tu vas ?

Antoine. – Je ne veux pas être là.
Tu vas me parler maintenant,
tu voudras me parler
et il faudra que j'écoute
et je n'ai pas envie d'écouter.
Je ne veux pas. J'ai peur.
Il faut toujours que vous me racontiez tout,
toujours, tout le temps,
depuis toujours vous me parlez et je dois écouter.

Les gens qui ne disent jamais rien, on croit juste qu'ils
veulent entendre,
mais souvent, tu ne sais pas,
je me taisais pour donner l'exemple.

Catherine !

INTERMÈDE

Scène 1

LOUIS. – C'est comme la nuit en pleine journée, on ne voit rien, j'entends juste les bruits, j'écoute, je suis perdu et je ne retrouve personne.

LA MÈRE. – Qu'est-ce que tu as dit ?
Je n'ai pas entendu, répète,
où est-ce que tu es ?
Louis !

Scène 2

SUZANNE. – Toi et moi.

ANTOINE. – Ce que tu veux.

SUZANNE. – Je t'entendais, tu criais,
non, j'ai cru que tu criais,
je croyais t'entendre,
je te cherchais,
vous vous disputiez, vous vous êtes retrouvés.

ANTOINE. – Je me suis énervé, on s'est énervés,
je ne pensais pas qu'il serait ainsi,
mais « à l'ordinaire », les autres jours,
nous ne sommes pas comme ça,
nous n'étions pas comme ça, je ne crois pas.

SUZANNE. – Pas toujours comme ça.
Les autres jours, nous allons chacun de notre côté,
on ne se touche pas.

ANTOINE. – Nous nous entendons.

SUZANNE. – C'est l'amour.

Scène 3

LOUIS. – Et ensuite, dans mon rêve encore,
toutes les pièces de la maison étaient loin les unes des
autres,
et jamais je ne pouvais les atteindre,
il fallait marcher pendant des heures et je ne reconnaissais
rien.

VOIX DE LA MÈRE. – Louis !

LOUIS. – Et pour ne pas avoir peur, comme lorsque je
marche dans la nuit, je suis enfant,
et il faut maintenant que je revienne très vite,
je me répète cela,
ou bien plutôt je me le chantonne pour entendre juste le son
de ma voix,
et plus rien que cela,
je me chantonne que désormais,
la pire des choses,
« je le sais bien,
la pire des choses,
serait que je sois amoureux,
la pire des choses,
que je veuille attendre un peu,
la pire des choses... »

Scène 4

SUZANNE. – Ce que je ne comprends pas.

ANTOINE. – Moi non plus.

SUZANNE. – Tu ris ? Je ne te vois jamais rire.

ANTOINE. – Ce que nous ne comprenons pas.

VOIX DE CATHERINE. – Antoine !

SUZANNE, *criant*. – Oui ?
Ce que je ne comprends pas et n'ai jamais compris

ANTOINE. – Et peu probable que je comprenne jamais

SUZANNE. – Que je ne comprenne jamais.

VOIX DE LA MÈRE. – Louis !

SUZANNE, *criant*. – Oui ? On est là !

ANTOINE. – Ce que tu ne comprends pas...

SUZANNE. – Ce n'était pas si loin, il aurait pu venir nous voir
plus souvent,
et rien de bien tragique non plus,
pas de drames, des trahisons,
cela que je ne comprends pas,
ou ne peux pas comprendre.

ANTOINE. – « Comme ça. »
Pas d'autre explication, rien de plus.

Toujours été ainsi, désirable,
je ne sais pas si on peut dire ça,
désirable et lointain,
distant, rien qui se prête mieux à la situation.
Parti et n'ayant jamais éprouvé le besoin ou la simple
nécessité.

Scène 5

CATHERINE. – Où est-ce qu'ils sont ?

LOUIS. – Qui ?

CATHERINE. – Eux, les autres.
Je n'entends plus personne,
vous vous disputiez, Antoine et vous,
je ne me trompe pas,
on entendait Antoine s'énerver
et c'est maintenant comme si tout le monde était parti
et que nous soyons perdus.

LOUIS. – Je ne sais pas. Ils doivent être par là.

CATHERINE. – Où est-ce que vous allez ?
Antoine !

VOIX DE SUZANNE. – Oui ?

Scène 6

SUZANNE. – Et que je sois malheureuse ?
Que je puisse être triste et malheureuse ?

ANTOINE. – Mais tu ne l'es pas et ne l'as jamais été.
C'est lui, l'Homme malheureux,
celui-là qui ne te voyait plus pendant toutes ces années.

Tu crois aujourd'hui que tu étais malheureuse
mais vous êtes semblables,
lui et toi,
et moi aussi je suis comme vous,
tu as seulement décidé que tu l'étais, que tu devais l'être
et tu as voulu le croire.
Tu voulais être malheureuse parce qu'il était loin,
mais ce n'est pas la raison, ce n'est pas une bonne raison,
tu ne peux le rendre responsable,
pas une raison du tout,
c'est juste un arrangement.

Scène 7

LA MÈRE. – Je vous cherchais.

CATHERINE. – Je n'ai pas bougé, je ne vous avais pas
entendue.

LA MÈRE. – C'était Louis, j'écoutais, c'était Louis ?

CATHERINE. – Il est parti par là.

LA MÈRE. – Louis !

VOIX DE SUZANNE. – Oui ? On est là !

Scène 8

SUZANNE. – Pourquoi est-ce que tu ne réponds jamais
quand on t'appelle ?
Elle t'a appelé, Catherine t'a appelé, et parfois, nous aussi,
nous aussi nous t'appelons,
mais tu ne réponds jamais
et alors il faut te chercher, on doit te chercher.

ANTOINE. – Vous me retrouvez toujours,
jamais perdu bien longtemps,
n'ai pas le souvenir que vous m'ayez jamais,
« au bout du compte »,
que vous m'ayez jamais, définitivement, perdu.
Juste là, tout près, on peut me mettre la main dessus.

SUZANNE. – Tu peux essayer de me rendre plus triste
encore,
ou mauvaise, ce qui revient au même,
cela ne marche pas.
Toi aussi, tu as de petits arrangements,
je les connais, tu crois que je ne les connais pas ?

ANTOINE. – Ce que je disais :
« retrouvé ».

SUZANNE. – Quoi ?
Je n'ai pas compris, c'est malin, ce que tu as dit, qu'est-ce
que tu as dit ?
Reviens !

ANTOINE. – Ta gueule, Suzanne !

Elle rit, là, toute seule.

Scène 9

LA MÈRE. – Louis.
Tu ne m'entendais pas ? J'appelais.

LOUIS. – J'étais là. Qu'est-ce qu'il y a ?

LA MÈRE. – Je ne sais pas.
Ce n'est rien, je croyais que tu étais parti.

DEUXIÈME PARTIE

Scène 1

Louis. – Et plus tard, vers la fin de la journée,
c'est exactement ainsi,
lorsque j'y réfléchis,
que j'avais imaginé les choses,
vers la fin de la journée,
sans avoir rien dit de ce qui me tenait à cœur
– c'est juste une idée mais elle n'est pas jouable –
sans avoir jamais osé faire tout ce mal,
je repris la route,
je demandai qu'on m'accompagne à la gare,
qu'on me laisse partir.

Je promets qu'il n'y aura plus tout ce temps
avant que je revienne,
je dis des mensonges,
je promets d'être là, à nouveau, très bientôt,
des phrases comme ça.

Les semaines, les mois peut-être,
qui suivent,
je téléphone, je donne des nouvelles,
j'écoute ce qu'on me raconte, je fais quelques efforts,
j'ai l'amour plein de bonne volonté,
mais c'était juste la dernière fois,
ce que je me dis sans le laisser voir.

Elle, elle me caresse une seule fois la joue,
doucement, comme pour m'expliquer qu'elle me par-
donne je ne sais quels crimes,
et ces crimes que je ne me connais pas, je les regrette,
j'en éprouve du remords.

Antoine est sur le pas de la porte,
il agite les clefs de sa voiture,
il dit plusieurs fois qu'il ne veut en aucun cas me presser,
qu'il ne souhaite pas que je parte,
que jamais il ne me chasse,
mais qu'il est l'heure du départ,
et bien que tout cela soit vrai,
il semble vouloir me faire déguerpir, c'est l'image qu'il
donne,
c'est l'idée que j'emporte.
Il ne me retient pas,
et sans le lui dire, j'ose l'en accuser.

C'est de cela que je me venge.
(Un jour, je me suis accordé tous les droits.)

Scène 2

ANTOINE. – Je vais l'accompagner,
je t'accompagne,
ce que nous pouvons faire, ce qu'on pourrait faire,
voilà qui serait pratique,
ce qu'on peut faire, c'est te conduire,
t'accompagner en rentrant à la maison,
c'est sur la route, sur le chemin, cela fait faire à peine
un léger détour,
et nous t'accompagnons, on te dépose.

SUZANNE. – Moi, je peux aussi bien,
vous restez là, nous dînons tous ensemble,

je le conduis, c'est moi qui le conduis,
et je reviens aussitôt.
Mieux encore,
mais on ne m'écoute jamais,
et tout est décidé,
mieux encore, il dîne avec nous,
tu peux dîner avec nous
– je sais pas pourquoi je me fatigue –

et il prend un autre train,
qu'est-ce que cela fait ?
Mieux encore,
je vois que cela ne sert à rien...

Dis quelque chose.

La Mère. – Ils font comme ils l'entendent.

Louis. – Mieux encore, je dors ici, je passe la nuit, je ne
pars que demain,
mieux encore, je déjeune demain à la maison,
mieux encore, je ne travaille plus jamais,
je renonce à tout,
j'épouse ma sœur, nous vivons très heureux.

Antoine. – Suzanne, j'ai dit que je l'accompagnais,
elle est impossible,
tout est réglé mais elle veut à nouveau tout changer,
tu es impossible,
il veut partir ce soir et toi tu répètes toujours les mêmes
choses,
il veut partir, il part,
je l'accompagne, on le dépose, c'est sur notre route,
cela ne nous gênera pas.

Louis. – Cela joint l'utile à l'agréable.

ANTOINE. – C'est cela, voilà, exactement,
comment est-ce qu'on dit ?
« d'une pierre deux coups ».

SUZANNE. – Ce que tu peux être désagréable,
je ne comprends pas ça,
tu es désagréable, tu vois comme tu lui parles,
tu es désagréable, ce n'est pas imaginable.

ANTOINE. – Moi ?
C'est de moi ?
Je suis désagréable ?

SUZANNE. – Tu ne te rends même pas compte,
tu es désagréable, c'est invraisemblable,
tu ne t'entends pas, tu t'entendrais...

ANTOINE. – Qu'est-ce que c'est encore que ça ?
Elle est impossible aujourd'hui, ce que je disais,
je ne sais pas ce qu'elle a après moi,
je ne sais pas ce que tu as après moi,
tu es différente.
Si c'est Louis, la présence de Louis,
je ne sais pas, j'essaie de comprendre,
si c'est Louis,
Catherine, je ne sais pas,
je ne disais rien,
peut-être que j'ai cessé tout à fait de comprendre,
Catherine, aide-moi,
je ne disais rien,
on règle le départ de Louis,
il veut partir,
je l'accompagne, je dis qu'on l'accompagne, je n'ai rien
dit de plus,
qu'est-ce que j'ai dit de plus ?
Je n'ai rien dit de désagréable,
pourquoi est-ce que je dirais quelque chose de désagréable,

qu'est-ce qu'il y a de désagréable à cela,
y a-t-il quelque chose de désagréable à ce que je dis ?
Louis ! Ce que tu en penses,
j'ai dit quelque chose de désagréable ?

Ne me regardez pas tous comme ça !

CATHERINE. – Elle ne te dit rien de mal,
tu es un peu brutal, on ne peut rien te dire,
tu ne te rends pas compte,
parfois tu es un peu brutal,
elle voulait juste te faire remarquer.

ANTOINE. – Je suis un peu brutal ?
Pourquoi tu dis ça ?
Non.
Je ne suis pas brutal.
Vous êtes terribles, tous, avec moi.

LOUIS. – Non, il n'a pas été brutal, je ne comprends pas
ce que vous voulez dire.

ANTOINE. – Oh, toi, ça va, « la Bonté même » !

CATHERINE. – Antoine.

ANTOINE. – Je n'ai rien, ne me touche pas !
Faites comme vous voulez, je ne voulais rien de mal, je ne
voulais rien faire de mal,
il faut toujours que je fasse mal,
je disais seulement,
cela me semblait bien, ce que je voulais juste dire
– toi, non plus, ne me touche pas ! –
je n'ai rien dit de mal,
je disais juste qu'on pouvait l'accompagner, et là, maintenant,
vous en êtes à me regarder comme une bête curieuse,
il n'y avait rien de mauvais dans ce que j'ai dit, ce n'est pas

bien, ce n'est pas juste, ce n'est pas bien d'oser penser
cela,

arrêtez tout le temps de me prendre pour un imbécile !
il fait comme il veut, je ne veux plus rien,
je voulais rendre service, mais je me suis trompé,
il dit qu'il veut partir et cela va être de ma faute,
cela va encore être de ma faute,
ce ne peut pas toujours être comme ça,
ce n'est pas une chose juste,
vous ne pouvez pas toujours avoir raison contre moi,
cela ne se peut pas,

je disais seulement,
je voulais seulement dire
et ce n'était pas en pensant mal,
je disais seulement,
je voulais seulement dire...

LOUIS. – Ne pleure pas.

ANTOINE. – Tu me touches : je te tue.

LA MÈRE. – Laisse-le, Louis,
laisse-le maintenant.

CATHERINE. – Je voudrais que vous partiez.
Je vous prie de m'excuser, je ne vous veux aucun mal,
mais vous devriez partir.

LOUIS. – Je crois aussi.

SUZANNE. – Antoine, regarde-moi, Antoine,
je ne te voulais rien.

ANTOINE. – Je n'ai rien, je suis désolé,
je suis fatigué, je ne sais plus pourquoi, je suis toujours
fatigué,

depuis longtemps, je pense ça, je suis devenu un homme
fatigué,
ce n'est pas le travail,
lorsqu'on est fatigué, on croit que c'est le travail, ou les
soucis, l'argent, je ne sais pas,
non,
je suis fatigué, je ne sais pas dire,
aujourd'hui, je n'ai jamais été autant fatigué de ma vie.

Je ne voulais pas être méchant,
comment est-ce que tu as dit ?
« brutal », je ne voulais pas être brutal,
je ne suis pas un homme brutal, ce n'est pas vrai, c'est vous
qui imaginez cela, vous ne me regardez pas, vous dites que
je suis brutal, mais je ne le suis pas et ne l'ai jamais été,

tu as dit ça et c'était soudain comme si avec toi et avec tout
le monde,
ça va maintenant, je suis désolé mais ça va maintenant,

c'était soudain comme si avec toi,
à ton égard,
et avec tout le monde,
avec Suzanne aussi
et encore avec les enfants, j'étais brutal, comme si on
m'accusait d'être un homme mauvais
mais ce n'est pas une chose juste,
ce n'est pas exact.
Lorsqu'on était plus jeunes, lui et moi,
Louis, tu dois t'en souvenir,
lui et moi, elle l'a dit, on se battait toujours
et toujours c'est moi qui gagnais, toujours, parce que je
suis plus fort, parce que j'étais plus costaud que lui, peut-
être, je ne sais pas,
ou parce que celui-là,
et c'est sûrement plus juste (j'y pense juste à l'instant,
ça me vient en tête)

parce que celui-là se laissait battre, perdait en faisant
exprès et se donnait le beau rôle,
je ne sais pas,
aujourd'hui cela m'est bien égal,
mais je n'étais pas brutal, là non plus je ne l'étais pas,
je devais juste me défendre,
tout ça, c'est juste pour me défendre.
On ne peut pas m'accuser.

Ne lui dis pas de partir, il fait comme il veut, c'est chez lui
aussi,
il a le droit, ne lui dis rien.

Je vais bien.

Suzanne et moi,
ce n'est pas malin
(ça me fait rire, ris avec moi, ça me fait rire,
ne reste pas comme ça,
Suzanne ?
Je n'allais pas le cogner, tu n'as pas à avoir peur, c'est fini)
ce n'est pas malin, Suzanne et moi, nous devrions être
toujours ensemble,
on ne devrait jamais se lâcher,
serrer les coudes, comment est-ce qu'on dit ?
s'épauler,
on n'est pas trop de deux contre celui-là, tu n'as pas l'air
de te rendre compte,
il faut être au moins deux contre celui-là,
je dis ça et ça me fait rire.
Toute la journée d'aujourd'hui, tu t'es mise avec lui,
tu ne le connais pas,
il n'est pas mauvais, non
ce n'est pas ce que je dis,
mais tu as tout de même tort,
car il n'est pas totalement bon, non plus, tu te trompes
et ce n'est pas malin,

voilà, c'est ça, ce n'est pas malin,
bêtement, de faire front contre moi.

LA MÈRE. – Personne n'est contre toi.

ANTOINE. – Oui. Sûrement. C'est possible.

Scène 3

SUZANNE. – Et puis encore, un peu plus tard.

LA MÈRE. – Nous ne bougeons presque plus,
nous sommes toutes les trois, comme absentes,
on les regarde, on se tait.

ANTOINE. – Tu dis qu'on ne t'aime pas,
je t'entends dire ça, toujours je t'ai entendu,
je ne garde pas l'idée, à aucun moment de ma vie, que tu
n'aies pas dit ça,
à un moment ou un autre,
aussi loin que je puisse remonter en arrière, je ne garde pas
la trace que tu n'aies fini par dire
– c'est ta manière de conclure si tu es attaqué –
je ne garde pas la trace que tu n'aies fini par dire qu'on ne
t'aime pas,
qu'on ne t'aimait pas,
que personne, jamais, ne t'aima.
et que c'est de cela que tu souffres.
Tu es enfant, je te l'entends dire
et je pense, je ne sais pas pourquoi, sans que je puisse
l'expliquer,
sans que je comprenne vraiment,
je pense,
et pourtant je n'en ai pas la preuve

– ce que je veux dire et tu ne pourrais le nier si tu voulais
te souvenir avec moi,

ce que je veux te dire,
tu ne manquais de rien et tu ne subissais rien de ce qu'on
appelle le malheur.
Même l'injustice de la laideur ou de la disgrâce et les
humiliations qu'elles apportent,
tu ne les as pas connues et tu en fus protégé –

je pense,
je pensais,
que peut-être, sans que je comprenne donc
(comme une chose qui me dépassait),
que peut-être, tu n'avais pas tort,
et que en effet, les autres, les parents, moi, le reste du
monde,
nous n'étions pas bons avec toi
et nous te faisions du mal.
Tu me persuadais,
j'étais convaincu que tu manquais d'amour.
Je te croyais et je te plaignais,
et cette peur que j'éprouvais
– c'est bien, là encore, de la peur qu'il est question –
cette peur que j'avais que personne ne t'aime jamais,
cette peur me rendait malheureux à mon tour,
comme toujours les plus jeunes frères se croient obligés de
l'être par imitation et inquiétude,
malheureux à mon tour,
mais coupable encore,
coupable aussi de ne pas être assez malheureux,
de ne l'être qu'en me forçant,
coupable de n'y pas croire en silence.

Parfois, eux et moi,
et eux tous les deux, les parents, ils en parlaient et devant
moi encore,
comme on ose évoquer un secret dont on devait me rendre
également responsable.
Nous pensions,

et beaucoup de gens, je pense cela aujourd'hui, beaucoup
de gens, des hommes et des femmes,
ceux-là avec qui tu dois vivre depuis que tu nous as quittés,
beaucoup de gens doivent assurément le penser aussi,
nous pensions que tu n'avais pas tort,
que pour le répéter si souvent, pour le crier tellement
comme on crie les insultes, ce devait être juste,
nous pensions que en effet, nous ne t'aimions pas assez,
ou du moins,
que nous ne savions pas te le dire
(et ne pas te le dire, cela revient au même, ne pas te dire
assez que nous t'aimions, ce doit être comme ne pas
t'aimer assez).
On ne se le disait pas si facilement,
rien jamais ici ne se dit facilement,
non,
on ne se l'avouait pas,
mais à certains mots, certains gestes, les plus discrets,
les moins remarquables,
à certaines prévenances
– encore une autre expression qui te fera sourire, mais je
n'ai plus rien à faire maintenant d'être ridicule, tu ne peux
pas l'imaginer –
à certaines prévenances à ton égard,
nous nous donnions l'ordre, manière de dire,
de prendre plus souvent et mieux encore soin de toi,
garde à toi,
et de nous encourager les uns les autres à te donner la
preuve
que nous t'aimions plus que jamais tu ne sauras t'en rendre
compte.

Je cédais.
Je devais céder.
Toujours, j'ai dû céder.
Aujourd'hui, ce n'est rien, ce n'était rien, ce sont des
choses infimes

et moi non plus je ne pourrais pas prétendre à mon tour,
voilà qui serait plaisant,
à un malheur insurmontable,
mais je garde cela surtout en mémoire :
je cédais, je t'abandonnais des parts entières, je devais me
montrer, le mot qu'on me répète,
je devais me montrer « raisonnable ».
Je devais faire moins de bruit, te laisser la place, ne pas te
contrarier
et jouir du spectacle apaisant enfin de ta survie légèrement
prolongée.

Nous nous surveillions,
on se surveillait, nous nous rendions responsables de ce
malheur soi-disant.
Parce que tout ton malheur ne fut jamais qu'un malheur
soi-disant,
tu le sais comme moi je le sais,
et celles-là le savent aussi,
et tout le monde aujourd'hui voit ce jeu clairement
(ceux avec qui tu vis, les hommes, les femmes, tu ne me
feras pas croire le contraire,
ont dû découvrir la supercherie, je suis certain de ne pas me
tromper),
tout ton soi-disant malheur n'est qu'une façon que tu as,
que tu as toujours eue et que tu auras toujours,
– car tu le voudrais, tu ne saurais plus t'en défaire, tu es
pris à ce rôle –
que tu as et que tu as toujours eue de tricher,
de te protéger et de fuir.

Rien en toi n'est jamais atteint,
il fallait des années peut-être pour que je le sache,
mais rien en toi n'est jamais atteint,
tu n'as pas mal
– si tu avais mal, tu ne le dirais pas, j'ai appris cela à mon
tour –

et tout ton malheur n'est qu'une façon de répondre,
une façon que tu as de répondre,
d'être là devant les autres et de ne pas les laisser entrer.
C'est ta manière à toi, ton allure,
le malheur sur le visage comme d'autres un air de créti-
nerie satisfaite,
tu as choisi ça et cela t'a servi et tu l'as conservé.

Et nous, nous nous sommes fait du mal à notre tour,
chacun n'avait rien à se reprocher
et ce ne pouvait être que les autres qui te nuisaient et nous
rendaient responsables tous ensemble,
moi, eux,
et peu à peu, c'était de ma faute, ce ne pouvait être que de
ma faute.
On devait m'aimer trop puisque on ne t'aimait pas assez
et on voulut me reprendre alors ce qu'on ne me donnait pas,
et ne me donna plus rien,
et j'étais là, couvert de bonté sans intérêt à ne jamais devoir
me plaindre,
à sourire, à jouer,
à être satisfait, comblé,
tiens, le mot, comblé,
alors que toi, toujours, inexplicablement, tu suais le malheur
dont rien ni personne, malgré tous ces efforts, n'aurait su
te distraire et te sauver.

Et lorsque tu es parti, lorsque tu nous as quittés, lorsque tu
nous abandonnas,
je ne sais plus quel mot définitif tu nous jetas à la tête,
je dus encore être le responsable,
être silencieux et admettre la fatalité, et te plaindre aussi,
m'inquiéter de toi à distance
et ne plus jamais oser dire un mot contre toi, ne plus jamais
même oser penser un mot contre toi,
rester là, comme un benêt, à t'attendre.

Moi, je suis la personne la plus heureuse de la terre,
et il ne m'arrive jamais rien,
et m'arrive-t-il quelque chose que je ne peux me plaindre,
puisque, « à l'ordinaire »,
il ne m'arrive jamais rien.
Ce n'est pas pour une seule fois,
une seule petite fois,
que je peux lâchement en profiter.
Et les petites fois, elles furent nombreuses, ces petites fois
où j'aurais pu me coucher par terre et ne plus jamais
bouger,
où j'aurais voulu rester dans le noir sans plus jamais
répondre,
ces petites fois, je les ai accumulées et j'en ai des centaines
dans la tête,
et toujours ce n'était rien, au bout du compte,
qu'est-ce que c'était ?
je ne pouvais pas en faire état,
je ne saurais pas les dire
et je ne peux rien réclamer,
c'est comme si il ne m'était rien arrivé, jamais.
Et c'est vrai, il ne m'est jamais rien arrivé et je ne peux
prétendre.

Tu es là, devant moi,
je savais que tu serais ainsi, à m'accuser sans mot,
à te mettre debout devant moi pour m'accuser sans mot,
et je te plains, et j'ai de la pitié pour toi, c'est un vieux mot,
mais j'ai de la pitié pour toi,
et de la peur aussi, et de l'inquiétude,
et malgré toute cette colère, j'espère qu'il ne t'arrive rien
de mal,
et je me reproche déjà
(tu n'es pas encore parti)
le mal aujourd'hui que je te fais.

Tu es là,
tu m'accables, on ne peut plus dire ça,
tu m'accables,
tu nous accables,
je te vois, j'ai encore plus peur pour toi que lorsque j'étais enfant,
et je me dis que je ne peux rien reprocher à ma propre existence,
qu'elle est paisible et douce
et que je suis un mauvais imbécile qui se reproche déjà d'avoir failli se lamenter,
alors que toi,
silencieux, ô tellement silencieux,
bon, plein de bonté,
tu attends, replié sur ton infinie douleur intérieure dont je ne saurais pas même imaginer le début du début.
Je ne suis rien,
je n'ai pas le droit,
et lorsque tu nous quitteras encore, que tu me laisseras,
je serai moins encore,
juste là à me reprocher les phrases que j'ai dites,
à chercher à les retrouver avec exactitude,
moins encore,
avec juste le ressentiment,
le ressentiment contre moi-même.

Louis ?

Louis. – Oui ?

Antoine. – J'ai fini.
Je ne dirai plus rien.
Seuls les imbéciles ou ceux-là, saisis par la peur, auraient pu en rire.

Louis. – Je ne les ai pas entendus.

ÉPILOGUE

Louis. – Après, ce que je fais,
je pars.
Je ne reviens plus jamais. Je meurs quelques mois plus tard,
une année tout au plus.

Une chose dont je me souviens et que je raconte encore
(après j'en aurai fini) :
c'est l'été, c'est pendant ces années où je suis absent,
c'est dans le Sud de la France.
Parce que je me suis perdu, la nuit, dans la montagne,
je décide de marcher le long de la voie ferrée.
Elle m'évitera les méandres de la route, le chemin sera plus court et je sais qu'elle passe près de la maison où je vis.
La nuit, aucun train n'y circule, je n'y risque rien
et c'est ainsi que je me retrouverai.
À un moment, je suis à l'entrée d'un viaduc immense,
il domine la vallée que je devine sous la lune,
et je marche seul dans la nuit,
à égale distance du ciel et de la terre.
Ce que je pense
(et c'est cela que je voulais dire)
c'est que je devrais pousser un grand et beau cri,
un long et joyeux cri qui résonnerait dans toute la vallée,
que c'est ce bonheur-là que je devrais m'offrir,
hurler une bonne fois,
mais je ne le fais pas,
je ne l'ai pas fait.

Je me remets en route avec seul le bruit de mes pas sur le gravier.

Ce sont des oublis comme celui-là que je regretterai.

Juillet 1990
Berlin.